Waltz

from "Masquerade Suite"

Aram Khachaturian
arr. for piano by Katsuma Nakajima

(poco rit.)
(a tempo)

51
57
5
63
2 1
3 1 1
68
f
2
1
1
74

80
85
poco rit.
a tempo
f
90
96
101
rit. e cresc.

Lento
a tempo
f
ff

139
p
145
Ped. Ped.
150
156
f
sf
161
Ped. Ped.
166
8va
f

171
Ped. Ped.
poco rit.
176
a tempo
181
mf
186
192

rit. e cresc.